COLECCIÓN
COLORÍN
COLORADO

Juan y las habichuelas mágicas

Texto
Pepe Maestro

Ilustración
Laura Barella

EDELVIVES

ÉRASE UNA VEZ

UN NIÑO LLAMADO JUAN QUE VIVÍA CON SU MADRE
EN UNA PEQUEÑA CASA.

CON ELLOS TAMBIÉN VIVÍA UNA VACA, PERO CUANDO
ÉSTA DEJÓ DE DAR LECHE, PASARON TANTA HAMBRE
QUE DECIDIERON VENDERLA.

Diseño de la colección: Carla López Bauer

Edición: Llanos de la Torre Verdú

© Del texto: Pepe Maestro
© De las ilustraciones: Laura Barella
© De esta edición: Editorial Luis Vives, 2009
  Carretera de Madrid, km. 315,700
  50012 Zaragoza
  teléfono: 913 344 883
  www.edelvives.es

ISBN: 978-84-263-7180-5
Depósito legal: Z. 2985-09

 Talleres Gráficos Edelvives (50012 Zaragoza)
Certificado ISO 9001
Printed in Spain

—YO LO HARÉ —SE OFRECIÓ JUAN.

—DE ACUERDO, PERO TEN CUIDADO, QUE NO TE ENGAÑEN
—CONTESTÓ SU MADRE.

Y JUAN Y SU VACA SE FUERON CAMINANDO.

AL POCO TIEMPO SE ENCONTRÓ CON UN VIEJECITO
QUE LE PROPUSO CAMBIAR SU VACA POR UNAS CUANTAS
HABICHUELAS.

—¿SE ESTÁ USTED RIENDO DE MÍ?
MI VACA VALE, AL MENOS,
DIEZ MONEDAS.

—PERO, CHICO, ESTAS HABICHUELAS SON MÁGICAS.
PLÁNTALAS Y VERÁS CÓMO, EN UNA SOLA NOCHE,
CRECEN HASTA EL MISMO CIELO.

JUAN SE QUEDÓ MUY IMPRESIONADO
POR LAS PALABRAS DEL ANCIANO Y ACEPTÓ EL TRATO.
GUARDÓ LAS HABICHUELAS Y REGRESÓ CORRIENDO
A CASA PARA CELEBRARLO.

CUANDO SU MADRE SE ENTERÓ DEL ACUERDO,
ROMPIÓ A LLORAR.

—PERO, JUAN, ¿NO VES QUE TE HAN ENGAÑADO?

Y JUAN, AVERGONZADO, ARROJÓ LAS HABICHUELAS
POR LA VENTANA.

AQUELLA NOCHE JUAN Y SU MADRE
SE ACOSTARON MUY TRISTES.

AL DESPERTAR, JUAN DESCUBRIÓ CON ASOMBRO
QUE UNA IMPRESIONANTE MATA DE HABICHUELAS
SE ALZABA FRENTE A SU VENTANA. ERA TAN ALTA,
TAN ALTA, QUE NO ALCANZABA A VER SU FINAL.
    EL ANCIANO NO LE HABÍA MENTIDO:
LAS HABICHUELAS ERAN REALMENTE MÁGICAS
Y HABÍAN CRECIDO HASTA EL MISMO CIELO.
    PERO JUAN QUISO COMPROBARLO Y, SIN PENSÁRSELO
DOS VECES, TREPÓ, TREPÓ Y TREPÓ...

HASTA QUE LLEGÓ A UN CASTILLO QUE HABÍA
EN LO MÁS ALTO.

LLAMÓ A LA PUERTA Y APARECIÓ UNA GIGANTA.

—PERO ¿QUÉ HACES AQUÍ, CRIATURITA? ¿NO SABES
QUE MI MARIDO ES UN OGRO Y QUE SU BOCADO
FAVORITO ES LA CARNE DE NIÑO?

EN ESE MOMENTO, SE OYERON UNOS TERRIBLES
PASOS QUE SE ACERCABAN.

—¡CORRE! —DIJO LA GIGANTA—. ¡ESCÓNDETE BIEN
EN ESE ZAPATO Y NI SE TE OCURRA MOVERTE
SI NO QUIERES CONVERTIRTE EN SU CENA!

EL OGRO, NADA MÁS ENTRAR, LEVANTÓ SU NARIZ,
OLISQUEÓ PROFUNDAMENTE Y DIJO:

—A CARNE DE NIÑO HUELO...

—DEBE DE SER EL GUISO QUE TE HE PREPARADO
—RESPONDIÓ LA GIGANTA—. TIENE CEBOLLITAS,
COMO A TI TE GUSTA.

EL OGRO SE LO COMIÓ TODO EN UN SUSPIRO.

LANZÓ AL AIRE UN ERUCTO ENORME Y ORDENÓ:

—TRAE MI SACO.

LA GIGANTA PUSO SOBRE LA MESA UN GRAN SACO
LLENO DE MONEDAS DE ORO. EL OGRO, SENTADO
EN SU SILLÓN, COMENZÓ A CONTARLAS.

CUENTA QUE TE CUENTA, SE QUEDÓ DORMIDO.

JUAN APROVECHÓ PARA SALIR DEL ZAPATO,
AGARRÓ EL SACO Y ESCAPÓ HACIA LA MATA
DE HABICHUELAS. SE DESLIZÓ RÁPIDAMENTE
POR ELLA Y LLAMÓ A SU MADRE:

—¡MAMÁ, MAMÁ, MIRA LO QUE TE HE TRAÍDO!
¡EL VIEJECITO TENÍA RAZÓN! ¡LAS HABICHUELAS
ERAN MÁGICAS!

LA MADRE, QUE NUNCA HABÍA VISTO UN SACO
LLENO DE MONEDAS DE ORO, SE PUSO MUY CONTENTA
Y COMENZÓ A DAR SALTOS Y BESOS A SU NIÑO.

UN BUEN DÍA, LAS MONEDAS SE ACABARON
Y JUAN DECIDIÓ VOLVER AL CASTILLO.

TREPÓ Y TREPÓ Y, ALLÍ ARRIBA, LA GIGANTA
LE ESTABA ESPERANDO:

—¡MENUDO TUNANTE ESTÁS HECHO!

EN ESE MOMENTO SE OYERON UNOS TERRIBLES PASOS
QUE SE ACERCABAN.

—¡CORRE! ¡ESCÓNDETE EN ESE CALCETÍN Y NO TE MUEVAS
SI NO QUIERES CONVERTIRTE EN SU CENA!

EL OGRO, NADA MÁS ENTRAR, LEVANTÓ SU NARIZ,
OLISQUEÓ PROFUNDAMENTE Y DIJO:

—A CARNE DE NIÑO HUELO...

—DEBE DE SER EL GUISO QUE TE HE PREPARADO
—RESPONDIÓ LA GIGANTA—. LLEVA CEBOLLITAS,
COMO A TI TE GUSTA.

EL OGRO SE LO COMIÓ TODO EN UN SUSPIRO.
LANZÓ AL AIRE UN ERUCTO ENORME Y ORDENÓ:
—TRAE MI GALLINA.

LA GIGANTA APOYÓ SOBRE LA MESA UNA JAULA
CON UNA GALLINA. EL OGRO ABRIÓ LA JAULA Y DIJO:
—GALLINA, GALLINA, PON UN HUEVO DE ORO.
Y LA GALLINA PUSO UN HUEVO DE ORO. EL OGRO
LO GUARDÓ, Y AL POCO TIEMPO SE QUEDÓ DORMIDO.

JUAN APROVECHÓ PARA SALIR DEL CALCETÍN,
ATRAPÓ LA GALLINA Y ESCAPÓ HACIA LA MATA
DE HABICHUELAS. SE DESLIZÓ NUEVAMENTE
POR ELLA Y LLAMÓ A SU MADRE:

   —¡MAMÁ, MAMÁ, MIRA LO QUE TE HE TRAÍDO!
¡CON ESTA GALLINA NUNCA MÁS VOLVEREMOS
A PASAR HAMBRE!

   LA MADRE, MUY CONTENTA, SE PUSO A DAR SALTOS
Y BESOS A SU NIÑO.

   PERO, UN BUEN DÍA, LA GALLINA SE MURIÓ Y JUAN
DECIDIÓ VOLVER AL CASTILLO.

   TREPÓ, TREPÓ Y TREPÓ, Y, ESTA VEZ, SE ESCONDIÓ
ANTES DE QUE LO VIERA LA GIGANTA.

   EN ESE MOMENTO, SE OYERON UNOS TERRIBLES
PASOS QUE SE ACERCABAN.

EL OGRO, NADA MÁS ENTRAR, LEVANTÓ SU NARIZ,
OLISQUEÓ PROFUNDAMENTE Y DIJO:
    —A CARNE DE NIÑO HUELO...

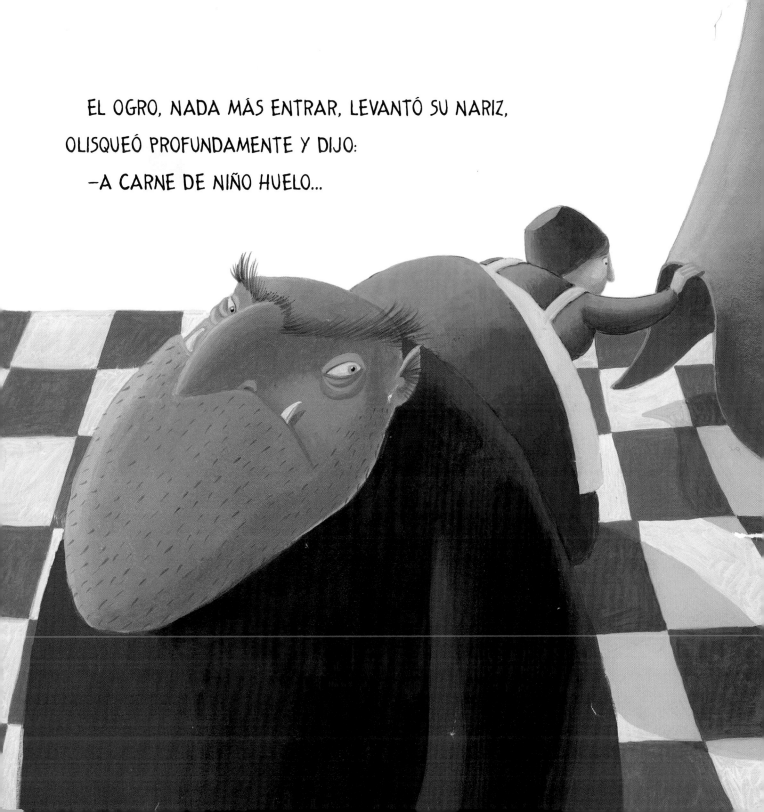

LA GIGANTA BUSCÓ Y REBUSCÓ POR EL CASTILLO,
PERO NO ENCONTRÓ NADA. DESPUÉS DE COMER,
EL OGRO ABRIÓ UN BAÚL Y SACÓ DE SU INTERIOR
UN ARPA DE ORO. LA PUSO SOBRE LA MESA Y DIJO:

—ARPA DE ORO, TOCA PARA MÍ.

EL ARPA COMENZÓ A SONAR SIN QUE NINGUNA
MANO LA TAÑERA. MIENTRAS ESCUCHABA LA BELLA
MELODÍA, EL OGRO SE QUEDÓ DORMIDO. JUAN SALIÓ
DEL CALCETÍN, SE HIZO CON EL ARPA Y ESCAPÓ
HACIA LA MATA DE HABICHUELAS. PERO CUÁL SERÍA
SU SORPRESA CUANDO OYÓ AL ARPA GRITAR:

—¡DESPIERTE, MI AMO, DESPIERTE! ¡ALGUIEN
ME ROBA, MI AMO, ALGUIEN ME ROBA!

EL OGRO SE DESPERTÓ Y, ENFURECIDO, COMENZÓ
A RUGIR Y A PERSEGUIR AL CHICO.

ESTABA A PUNTO DE PILLARLO CUANDO JUAN
ALCANZÓ LA MATA DE HABICHUELAS.
MIENTRAS DESCENDÍA, IBA GRITANDO:
   —¡EL HACHA, MAMÁ, EL HACHA!
   EL OGRO, QUE ERA MÁS TORPE Y SUFRÍA
DE VÉRTIGO, BAJABA MÁS DESPACIO.

CUANDO JUAN LLEGÓ AL PIE DE LA MATA,
YA LE ESPERABA SU MADRE CON EL HACHA.
CORTARON EL TALLO Y EL OGRO CAYÓ DESDE
LO ALTO ESTRELLÁNDOSE CONTRA EL SUELO.

TIEMPO DESPUÉS, JUAN Y SU MADRE RECORRIERON EL MUNDO
DANDO CONCIERTOS CON EL ARPA ENCANTADA. DEL OGRO,
NADIE, NADIE, NI TAN SIQUIERA EL ARPA, SE ACORDABA.
Y COLORÍN COLORADO, ESTE CUENTO SE HA ACABADO.